JN099297

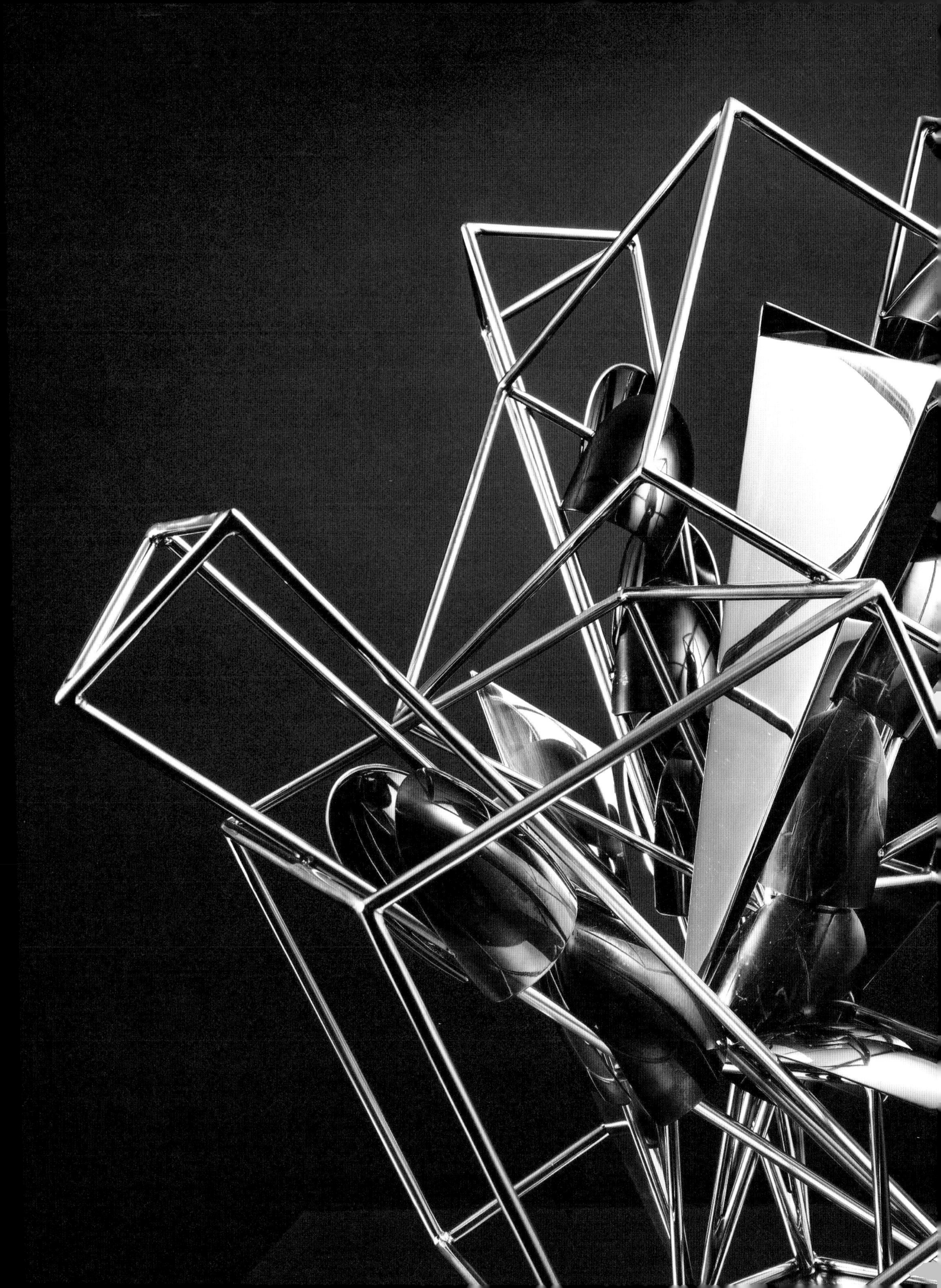

C O N T E N T S

時代に燦めく
アート
クラフト
フラワー

組み合わせで楽しむバリエーション

Soutache はフランス語で「縁飾り用の細いコード」という意味。貴族のブラウスやガウンなどの袖口、襟元を飾る時に使われていた技法と言われています。美しい色の重なりや、ビーズ、天然石との組み合わせで数限りないバリエーションが生まれます。

オリエンタルなイメージで

ソウタシエの描く曲線は素材や配色によって
オリエンタルなイメージにも。

色使いを抑えた
クラシックな
ネックレス

ブライダルをテーマにした今年の新作。シルクリボンの花びらと円を描くソウタシエコードの蔓、その間からのぞく素肌も作品の一部となって輝きます。花嫁さんの幸せを祈って。
コスチュームジュエリーアワード 2020
シルバー賞 「ルリハコベ」
（一般財団法人生涯学習開発財団賞）受賞作品

チェコのガラスボタンとソウタシエ

チェコのガラスボタンはとても華やかで美しいものが多くみられます。ボタンの柄や色からは新しい発想やアイデアが思い浮かび、ひらめきを与えてくれます。美しいボタンとソウタシエコードの織り成すハーモニーに心が躍ります。

小鳥とチューリップのブローチ

ウィリアムモリスへのオマージュ

インターナショナルビーズビエンナーレ2017審査員特別賞受賞

川口富美代 Fumiyo Kawaguchi

Handmade Accessory Rinje 主宰

大学で油彩を専攻し、中学校美術教師として勤務する傍ら、2000 年より趣味でビーズアクセサリーの制作を始める。2012 年 26 年間の教員生活に区切りをつけ、Rinje を立ち上げる。洋書を取り寄せ、独学でソウタシエ制作を始める。2017 年にインターナショナルビーズビエンナーレにて審査員特別賞を受賞。2019 年国際平和美術展海外展オーストリア・シェーンブルン宮殿に出展し、画家クリムトのお孫さんとのツーショットが話題に。2020 年コスチュームジュエリーアワードにてシルバー賞受賞。広島県内で数か所ソウタシエ教室を開催。百貨店、ギャラリーでの展示会などで作品販売を行う。絵画を思わせる作風には定評がある。

天然石のペンダントトップ

ソウタシエのバリュール

HP　https://rinje-soutache.com/

メール　rinje.shop@gmail.com

インスタグラム

https://www.instagram.com/fumiyokawaguchi/

果物や野菜に彫り描く楽しさ

大根特有の繊維質な透明感を生かし、月夜に照らされた羽や尾羽の透けるような繊細さを表現した。蓮の花と月や大根を食用色素で着色して華やかさをプラスしている。白い孔雀は神聖な鳥として大切にされる国があったり、精神の回復や癒しなどのスピリチュアルな意味合いもあるそうだ。大根のほのかな香りは癒し効果が助長されるかもしれない。
素材：大根

孔雀

鷲

大きく羽を広げ、力強く飛び立つ鷲を彫刻した。翼の繊細さと大胆さを、生ものである野菜で表現するのは時間との勝負。いずれ形がなくなるものに、想いや、彫刻の技をこめていく時間は、精神と集中を要する。少しづつ形が出来上がってくる様子に喜びを感じ、仕上がりの達成感にいつしか虜になる。野菜彫刻の儚い美しさと力強さが魅力の一つと感じる。素材：人参

龍

橙と黄の人参約 20 本を使って、躍動感のある動きに仕上げた。頭や牙、鱗の一枚一枚や鋭い爪なども全てナイフで切り出している。人参のみずみずしさと強い橙色は、龍のしなやかさと力強い生命力を表現する上で良い素材である。じっと何かを見据える眼差しと、大きく広げた前脚の先には何があるだろう。素材：人参

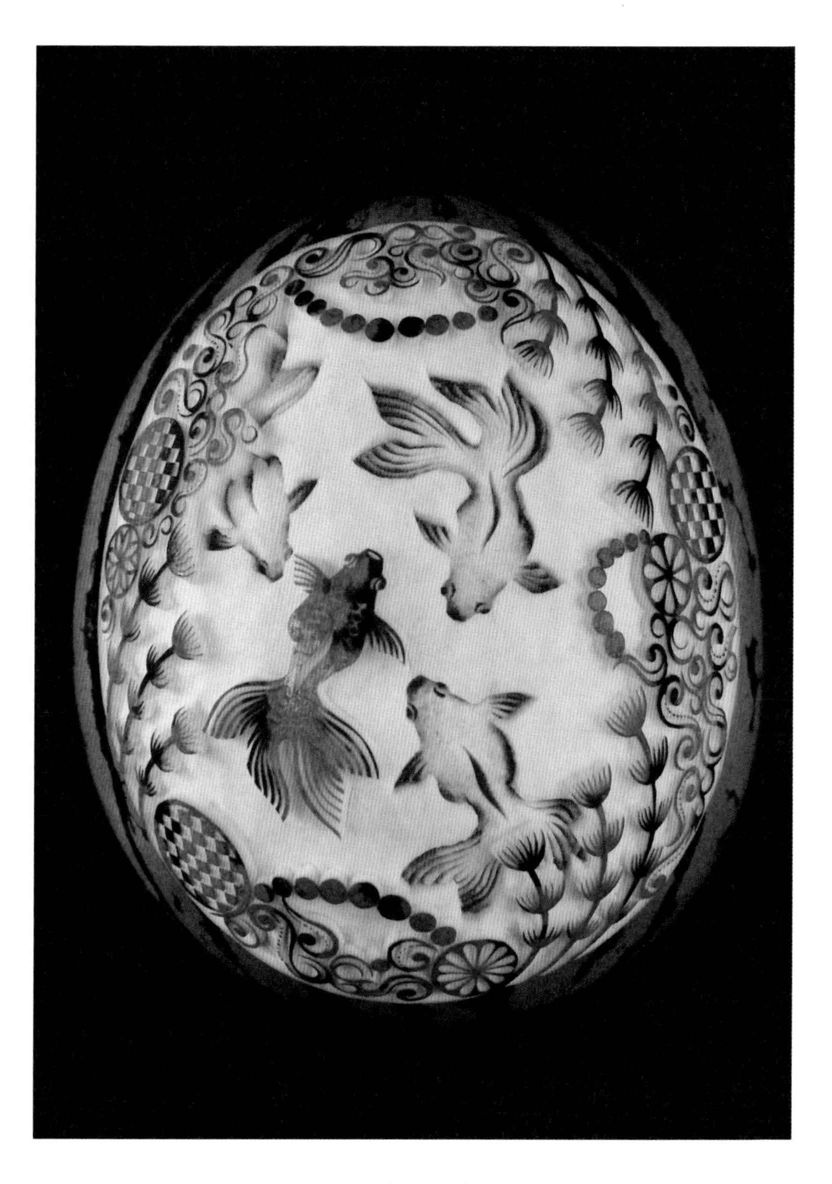

金魚鉢

季節のスイカを買ってきて、ぐるっと見渡す。フルーツカービングは素材の形、色合い、硬さ、音などの特徴を分析するところから始まる。一つ見極めを誤ればナイフを入れた途端真っ二つに割れてしまう。表面にはスイカのコントラストトグラデーションを生かして赤と緑の金魚を彫り入れた。水草や和柄、水の動きを表現した渦巻き模様など和洋折衷の金魚鉢が出来上がった。下書きを一切せず、感性の赴くままに彫る楽しみ、そして美味しく食べる楽しみがあるフルーツカービング。エコロジーが求められる時代にぴったりなアートとつくづく感じる。素材：スイカ

石川さちこ Sachiko Ishikawa

カービングアーティスト
カービングサロン World Carving 主宰

動植物に親しむ幼少期を過ごす。偶然テレビで見たカービングの世界に魅了され、すぐ勉強を開始。教室に通いテキストを見ながら技術を磨き、カービングサロン World Carving を設立。現在、国内外でのアーティスト活動のほか、栃木、東京でレッスンを定期的に開講。また企業・個人からの受注により制作も行う。海外からもレッスン生を受け入れており、台湾、香港、タイ、イタリア、イギリス等で作品展示や技術提供を行い活躍中。作品に使う素材選びからこだわり、野菜ソムリエの資格を取得。ソープ(石鹸)、キャンドルは配合から研究・開発している。今、最も注目されているカービングアーティストの1人。

2011年 日本タイカービング協会主宰
第3回カービングコンテスト
【ソープ部門】銀賞 【フルーツ部門】銅賞および一般審査賞

2012年 日本タイカービング協会主催
第4回カービングコンテスト
【ソープ部門】金賞および一般審査賞 【フルーツ部門】審査員特別賞

2014年 タイ王国 カービング世界大会 Thai Fex World Food of Asia 2014 個人戦金賞

2015年 台湾台北市 カービングコンテスト
「2015 神形雕手決戦」個人戦金賞

2018年 テレビチャンピオン極
「フルーツカービング王決定戦」優勝

2020年 ドイツ世界料理オリンピック
「フルーツカービング部門」銀賞

2022年 ルクセンブルク
第14回国際料理コンクール カービング2部門で金メダル

ホームページ https://worldcarving.com/

動物たちが与えてくれる情感を表現

愛犬そっくりの物が欲しいという想いから始めた羊毛フェルトが、今では私の天職となりました。見た人が優しい気持ちに包まれる様な作品を、日本が古くから大切にしている箱庭芸術の中に、大好きな動物で表現しました。

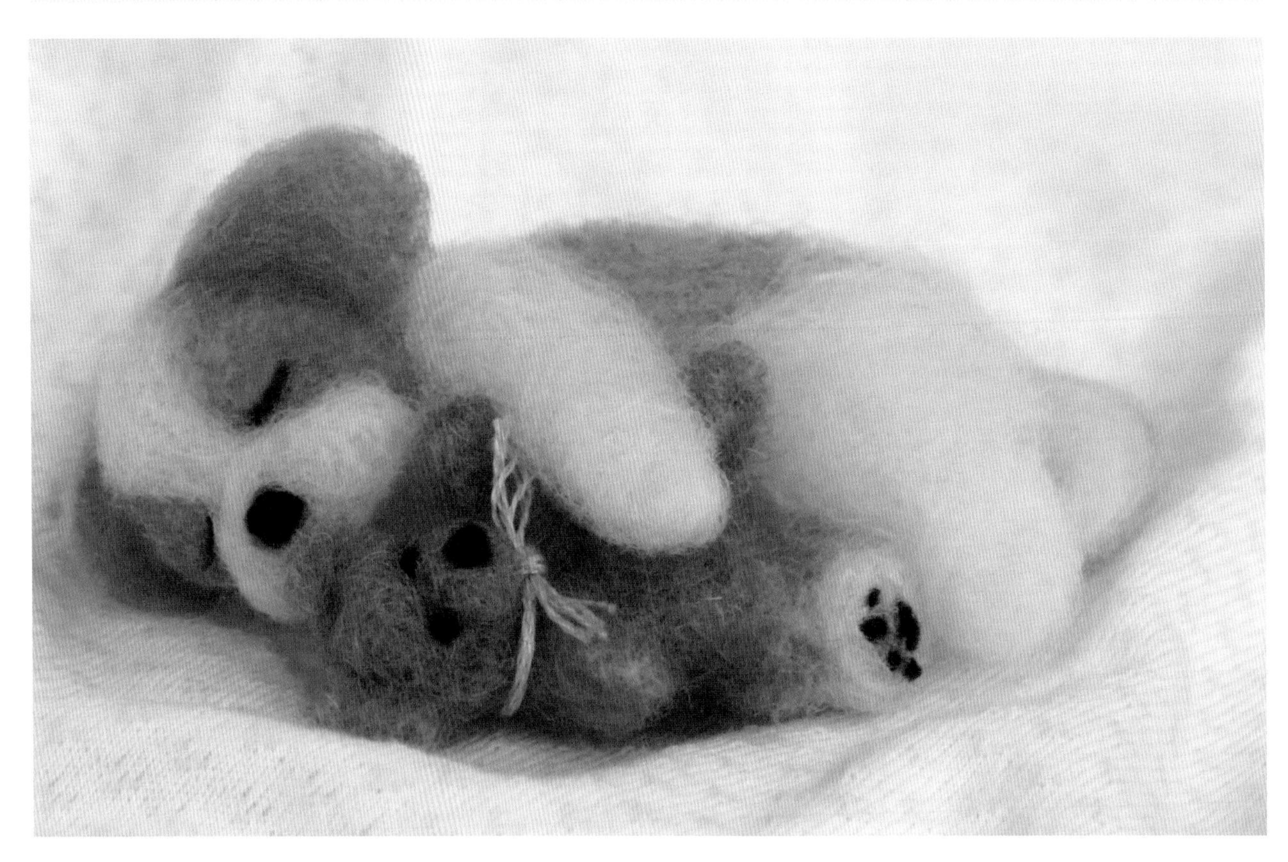

「ねんね」シーズー　約7cm

「おやすみ」フレンチブルドッグ　約7cm

HAPPY!!
WORLD PEACE ART EXHIBITION 2017
国際平和褒賞(インド)
W40×D40×H40cm

SHIBA　2012年「ボストン展」金賞、第53回「新院展」創作特別賞、W40×D40×H40cm

バーミーズ　約8cm

ノルウェージャン フォレストキャット
約11cm

Downtown Cats

2021年「第7回 美の視点」 評論家推薦作家大賞
W50×D50×H50cm

祈り　第54回「新院展」最優秀美術大賞
W50×D50×H50cm

子羊とウサギ
約8cmと6cm

天を翔ける

ペガサス
W45×D45×H60cm

おぼろ月夜　W40×D40×H55cm

ゴールデン・レトリバー
約9cm

佐藤有紀子　Yukiko Sato
羊毛フェルト作家／atelier KC 主宰

2005年より数カ所のカルチャーセンターにて講師を務め、国内外様々な展覧会に出展。

英国王立美術家協会名誉会員
オルセー美術館世界芸術遺産認定作家
国立故宮博物院国際正会員

2006年の東京都美術館80周年記念「創作手工芸展」審査委員長賞受賞を皮切りに国内外の展覧会に出展。
受賞多数。

代表的受賞としては
2012年にボストンにて行われた「手工芸展」にて金賞。
2016年、第21回「日本の美術～全国選抜作家展～」にて審査員特別賞、同年に世界芸術競技（芸術オリンピック）in リオデジャネイロ　クリスタルメダル。
2021年、第7回「美の視点」評論家推薦作家大賞。
2022年、「MINELVA 2022」in ロンドン　特別賞。
同年に第54回「新院展」最優秀美術大賞。
等が挙げられる。

海外出展・ニューヨーク、ロンドン、ローマ、パリ、他30都市を超える。

【レッスン案内】
池袋コミュニティカレッジ
　第４日曜日　13:30～16:00
読売カルチャー　恵比寿
　第４木曜日　13:00～15:15
読売カルチャー　横浜
　第４月曜日　14:30～16:45
読売カルチャー　自由が丘
　1．第１日曜日　13:00～15:30
　2．第２水曜日　13:00～15:15

HP：https://a-kc.net

世界に一つのオリジナル作品を

羊毛は難しいと思われがちですが、基本テクニックさえ覚えてしまえば形になります。また異素材との組み合わせで作品の幅も広がり、世界でたった一つの素敵なオリジナル作品が出来上がりますよ。羊毛と針ですぐに始められる羊毛フェルト、皆様もチクチク楽しんでみませんか。

シェルティ

モデルはご近所のワンちゃんです。
作品のトランクは生徒さん製作。

ポメラニアン

アーティフィシャルフラワーを使って、お花畑にいる
イメージにしてみました。
フラワー監修　エステルフラワーデザインスタジオ

グレートピレニーズ

公園で優雅に歩く姿に見とれて制作しました。

親子パンダ

動物園にいる親子パンダの１日をイメージして製作してみました。羊毛を通じて知り合った素敵な作家さん達とのコラボ作品になります。

笹 ：日本クラフト盆栽作家協会の青木桃子先生 製作
木馬：木馬の森

柴犬と風鈴

和犬ということで、風鈴、蚊取り器等、和の小物を使って日本の夏を演出してみました。

ポメのクリスマス

ロマンティックな聖夜にふさわしいアーティフィシャル
フラワーと羊毛のアレンジです。
フラワー監修：エステルフラワーデザインスタジオ

ビーグルのリールストラップ

根強い人気の「うちの子リールストラップ」

シーズー

魅力を最大限に引き出すフルコートスタイルは
気品があります。

西岡美和　Miwa Nishioka

Miwa の羊毛アトリエ主宰

リアル羊毛第一人者の教室で研鑽を積みアシスタントを、またカルチャーセンターで講師を務める。ハンドメイド展、有名デパート等で作品を販売。２０１９年より本格的に作家活動を始め、２０２１年に横浜と南町田で羊毛教室を開講。現在、教える傍らオーダーメイドの受注も行っている。不定期だが「二俣川　FUTAMATA RIVER LIBRARY　モットバ！」にてワークショップを開催予定。横浜市在住。

Miwa の羊毛アトリエ教室 横浜教室

アットホームでいつも笑いが絶えないお教室です。製作するものは犬、猫、野生動物、時には爬虫類も……カリキュラムに沿って、季節の物またご友人様へのプレゼント製作にも対応しております。

blog　Ｍｉｗａの羊毛アトリエ
https://ameblo.jp/miwayomo/
インスタグラム
https://www.instagram.com/miwanishioka55

Hanakyogi

Mie Kaneko

木の風合いや優しさから与えられる恩恵

杉やヒノキを薄く削った経木は古くから使われていた包装材でした。経木に残る木目に、荒れた年、穏やかな年などその年に木の周りで起こった出来事を感じ、それはまるで「人生のようだ」と思います。花経木では経木自体を加工し形作り、またプリザーブドやドライフラワーと併せてアレンジすることで木の風合いや優しさを感じてもらえる作品作りをしています。

おひなさま　娘へ

慶びの歌

報恩謝徳

微笑

父の思い出

花船

撮影　屋久杉を使ったお宅にて

重層

紅華

縁
〜えにし〜

経木を素材とした作品創りを続けている金子美枝先生。ご自身の郷里の近くでもあった東日本大震災の被災地で続けている花クラフト教室についてお話を伺いました。

被災地の方々がご自身で何かを始めるきっかけになって欲しい。

持病のリウマチで手指に激痛があり箸も握れず、親友の訃報が届いたことも手伝って、色々な事が重なり花を遠ざけていた時期に東日本大震災が起きました。この状態では体力が求められる被災地支援などままならず…、と郷里の惨状を忸怩たる思いで見つめる日々。そんなある日、避難先の小学校や、公民館で子どもたちが折り紙を折ったり、大人達が布で靴を挟む洗濯バサミを作ったりというニュースを耳にしました。当時、避難所で沢山の靴がバラバラになり、無くなるという事が頻繁にあったとのこと。これからは心のケアが必要とラジオから流れてきました。

お花…。被災された方々の癒しになるのでは…と、皆さんに、お花に触れて欲しいとの思いが湧きました。当時、私は「自分の作品を一冊にまとめいつか出版を」と地道に蓄えていました。夢であった自分のお花の本。でもそれは、あくまで自己満足。それなら、沢山の方々にお花に触れて欲しい、受け身ではなく自分で何かをするきっかけになって欲しい……そのように願っていたところ、多くの方の協力を得て、なんと被災地での花レッスンが実現することになりました。出版のために蓄えていた私財を投げ打ち、プリザーブドフラワーやグルーガン等の道具を何個も購入して現地へ向かいました。

避難先の学校、仮設住宅、公民館で活動。戻った皆さんの笑顔。

当地で初めて教室を開いた日は忘れられません。目をキラキラ輝かせお花に触れる皆さん。私は指の痛みも忘れ、参加された方々が完成させた作品に触れたくなりました。全ての作品から伝わってくる"楽しみ"という名の心の介抱と開放。これがお花の『パワー』なんだと改めて感じた瞬間でした。

参加予定人数を上回ったため参加が叶わなかった皆さんには、余ったお花を紙コップに挿してお渡しする、そんなバタバタとした１回目でした。１回行ければ、と軽く考えていたのに教室を開催し続けてすでに10年。市の職員の方によると参加者は延べ1000人を超えたとのこと。震災が起きたからこそのご縁に、切なさと、後ろめたさが、ずっとありました。当時、多くの方は、悲しみのあまり、生きる意味を探しているようでした。だからこそ、お花に触れ、少しでも笑顔になって欲しい。一歩踏みだすきっかけになれたら…と願いながらの活動でしたが、逆に私が、皆さんに、生きる意味と、お花の底知れぬパワー、そして、人としての強さ、優しさを教えて頂きました。

資材会社のご厚意、多くの友人、知人からの応援により実現。

初期からプリザーブドフラワーを提供して頂いたフロールエバー社のカルデナス前社長をはじめとする本当に多くの皆さまの花材、お菓子、そして労力の支援。それを思うと、切なさ、申し訳なさが込み上げていましたが、10年年前に比べて皆さんに当たり前の日常が戻ってきている光景を見ると、そういった気持ちも薄れていくようです。

ここに掲載された作品の数々は被災地での活動があったからこそ生み出せました。大工であった父。和裁をしていた母の影響で、花材に経木を使う事を自らのライフワークとしていたのですが、被災地での活動を続けていくうちに「経木の持つ優しいたおやかさが心を癒し鎮魂や手向けにも適すのではないか」との思いが強くなり、より経木に傾倒したからです。これからも、経木とお花を通して、沢山の方々が癒され、笑顔になることを願っています。

良縁に心から感謝を込めて。

金子美枝　敬拝

橙なる手向け

野球好きのお父様へのお花をご依頼で制作。大好きだった野球チームのカラー、オレンジをいれました。

金子美枝　Mie Kaneko

parterre<花の会>主宰
フラワー装飾一級技能士
小原流師範
英国王立美術家協会名誉会員

１５歳より小原流いけばなを学ぶ。マミフラワーデザインスクールにて学ぶ。フラワーショップ勤務を経てプリザーブドフラワー、ドライフラワー、生花、布、和紙、畳、木材、経木を用いた創作活動を開始。東日本大震災後、被災地の宮城県東松島市で定期的にボランティアレッスンを行う。東北各地の寺院へ花経木を奉納。東松島市社会福祉協議会から感謝状を授与される。「花経木」は登録商標。デザイン、技法は特許申請中。

撮影
佐藤貴佳　渋谷佳弘　金子美枝

六器に備えるお花。岩手県一関市の永泉寺様にて。
ご住職の中臣亮啓氏に許可を得て撮影。

Flower arrangement
Masako Yoshikawa

花を美しいと感じ、愛でる心は
言霊を超越し人々をつなぐ

この目まぐるしく変化する現代社会の中、一輪の花がどれだけ私たちの心を癒してくれることでしょう。花との出会いで私は自分の人生を有意義に積み重ね、私なりの歴史を刻むことができました。また世界中の色々な国の人たちと交流を深めることもできました。たとえ言葉が十分に通じなくても、美しいものを美しいと感じ、それを慈しむ心は同じだということに気づかされました。その美しさは私たちの心の中に永遠に咲き続けるのではないでしょうか。今回は富山ガラス美術館で開催された展示会出品作をご紹介します。

Galaxy（銀河系）――壮大な宇宙の神秘――

A World Art Competition in Firenze ITALY　出品作品

貴婦人とクリスタルの世界

しだれ桜

ガラス美術館での
展示風景

吉川昌子　Masako Yoshikawa

Ecole de fleur Masako
エコール・ドゥ・フルール・マサコ 主宰

1986 年、オランダでフラワーデザインを始める。1995 年より 3 年間、フランス・パリにて研修に勤しむ。美術館、大使館、新聞社、百貨店ギャラリーでも多く展示を行うほか、国際平和美術展 in ウクライナ(キーウ)への出展などイタリア、フランス、スペイン、チェコ、スイスなど、国内にとどまらず海外でも創作活動を発表。また企業、ホテル、レストラン等のフラワーイベント、パーティも多く手掛ける。

日本フラワーデザイナー協会 名誉本部講師・試験審査員・コンテスト審査員／フラワー装飾一級技能士／日本テーブルコーディネート協会講師
2002 年 JFS フラワーデザインコンテスト準グランプリに選定されたのを皮切りに、2007 年日本フラワーデザイン大賞テーブルコーディネート部門第一位、JAL カップフラワーデザインコンテスト準グランプリ、2010 年フラワードリームプリザーブドコンテストゴールドアワード、2011 年の第 3 回 Florever プリザーブドフラワーコンテスト in　TOKYODO Crea 優勝など、数々のコンテストで最優秀の成績を収める。
富山県黒部市在住。

ホームページ　http://www.fleur-masako.jp
Email　fleur-masako@ni-po.ne.jp
Email　fleur.masako29@gmail.com

撮影　中村勇　小林正美

招待作家の皆様

人と自然が快適に過ごすための花しつらえ

花を囲み、語り合って心を通わす。人と花、人と樹、人と生き物等、共に生きる事の素晴らしさを五感で受けて。このページの作品はアナロガスカラーで、落ち着いた色合い。誰でも受け入れやすく、心に馴染みます。八重のユリでゴージャス感を出しています。花はもう一つの言葉です。心を花で表現してみましょう。

ユリの語らい

水平面を意識して

上から見たバランスを重視するデザインです。あまり目立たないわずかな主張をする花を選び極端な高低差を付けず、ゆるやかに配し、路傍に咲く健気な植生感を出しました。

スプレーローズのボーゲン

この作品はステムが９０度の角度で集まっているので、曲げやすく、柔らかい、ワイヤリングしやすい植物を選んで作っています。外は閉じられ、内部はギュッとつめています。形態としては、伸び伸び左右に流れるラインに。

広がるシュトラウス

雲竜柳との供宴

宙に浮くケイトウ

祝い花

大森啓子　Keiko Omori

フラワーアレンジメントデザイナー

元小笠原流家元教授。ロンドン在住時に現地のフラワースクールに学び、帰国後も更に英国式・アメリカ式のアレンジメントを学ぶ。フラワースクールの講師、カラーコーディネーター（東商)、フラワーデザイナー（NFD)、カットフラワーアドバイザー、花ソムリエなどの資格を取得し独自のスタイルを築く。現在、英国式フラワーアレンジメントスクール「K フラワー・オアシス」を主宰。英国ならではの上品かつ生活空間に溶け込むフラワーアレンジメントで、花を気軽に素敵に楽しむことを提案している。

【書籍・掲載】
「四季の部屋別アレンジメントーElegant & Classic」「花ポストカードブックシリーズ5」（以上、草土出版)、「祝い花・贈り花のマナー」（角川マガジンズ)、ほか雑誌掲載も多数。

【レッスン案内】
4~5人の少人数制
基礎科から上級・専攻科
ヨーロピアンコース、ブーケコース等
レッスン日　月火木金
時間 10:30 ~ 12:30　14:00 ~ 16:00
※Cut Flower Adviser 認定校
※詳細は問合せ

K フラワー・オアシス
東京都港区白金台5-9-9
TEL03-3441-6529
Email　flower.arr.k.10@docomo.ne.jp

花選びから撮影までの楽しい作業

フラワーアレンジメントは自己表現と創造性を作り出す一つの美しい方法。リラックス効果もあり、心癒されるひとときです。さらに作品を写真に残すことで、制作した楽しさを呼び起こし、SNSなどで他の人と楽しみや美しさを共有することができますし、これからの自分の成長や進歩の確認、新たなアイディアの参考にすることもできます。花選びから写真撮影までの一連の動作はクリエイティブで楽しい作業です。

お気に入りアンティークに添えて

暑い夏はパワーフラワーひまわりで元気に

カリグラフィーで華やかにプレゼントアレンジメント

実りの秋

クリスマスのリース

いただいたお花をドライにして

お気に入りのしめ縄で新たな年をお迎え

花冠のように

ナチュラルガーデンからの贈りもの

楽しんだお花をドライにして愛でる

古川洋子　Yoko Furukawa

RY flower YOKO 主宰

NFD（公益社団法人日本フラワーデザイナー協会）で学び資格取得。７年ほど前から各種マルシェに参加し、作品発表とその販売を開始する。地元ショップでの委託販売、また JR 名古屋駅近くの老舗百貨店でも展示販売する。東京堂の wed サイトに作品写真が掲載されるほか、花作品を撮った写真が地元フォトコンテストで入選。現在は委託販売のほか、ワークショップ開催、通販（minne）で作品を販売することをメインに活動中。岐阜県在住。

インスタグラム：@yoko.furukawa

春爛漫のリース

春の暖かな陽光を受けて、八重のチューリップ、パンジー、ミモザなど８種類のお花が喜びに満ち溢れ、楽しそうに咲き誇る様を表現しました。「伸ばし棒」という道具でクレイの花びらに丁寧にフリルをつけていくことにより、個性的で豊かな表情のお花が出来上がります。同じお花であっても、それぞれ違った表情を作ることで、アレンジをしたときに作品が軽やかに、そして華やかな動きが生まれます。また直径 30cm のリース枠もクレイで制作することで作品に一体感を出しています。

春の七草スープマグ

春のお花を７種、スープマグにたっぷりと詰め込みました。チューリップ、ムスカリ、菜の花、エンドウ、スイートピー、デルフィニウム、そして桜。すべてのお花の表情がよく見えるように、そして立体感を感じられるように、それぞれの特性を活かしながらアレンジしています。目で見て楽しむ「春の七草」を召し上がれ。

水無月の朝

梅雨の日の静かな朝。しとしとと降る雨が、草花を伝って静かに、そして優雅に流れていく様子をイメージしました。紫陽花は単体で飾られることも多いお花ですが、こうして軽やかな小さなお花と一緒にアレンジすることで、存在感がありながらも、飾っていても圧迫感のない作品となっています。更に、デルフィニウムとスイートピーは、２種類のクレイの配合を変えて生花のような透明感を出し、水をイメージした作品らしく、みずみずしさをプラスしています。

天使のクリスマス

大輪のカサブランカを天使に見立てて作ったクリスマスの作品。全体にゴールドのラメを塗り、華やかさを演出しています。葉はグリーン系の色だけでなく、パープルやホワイトで作ってみたり、グリーンとホワイトをマーブル状にして作ってみたり、着色も工夫しています。また、自然界に存在する葉に濃い部分や薄い部分があるように、クレイの葉にも濃淡をつけて作ると、アレンジした時に奥行き感が出ます。こうして自由自在に本物らしいものも、そうでないものも作ることができるのがクレイの魅力です。

窓辺の小鳥さん

アネモネの中でも、小輪咲きで可愛らしいと人気の「アネモネ・デカン」を、生花さながらに粘土で再現。更にクレイのワイヤープランツ・ギンマルハユーカリを添えてナチュラルな雰囲気に。お花が咲いて、幸せを引き寄せる様な魅力ある小窓に小鳥さんがとまり仲良くさえずっている、そんなイメージを表現してみました。

花や葉が自由自在に表現できるクレイフラワーの魅力

クレイフラワー作りの工程は、
主に3つあります。

1，白い粘土に色を染めて、お花を形成。
2、乾いたお花に表情をつける為、更に着色。
3、作ったパーツを組み合わせてアレンジ。

花びらを1枚1枚、全て自らの手で作り上げるクレイフラワー。作品として仕上げるまでに時間はかかりますが、だからこそハンドメイドの楽しさを実感でき、完成した瞬間の大きな達成感は言葉にならないほどの感動があります。実際に教室で作品が完成した時にはみんなで喜び合い、たくさんの拍手と歓声が上がります。そして半永久的に色褪せず飾っておけるクレイフラワーは、お部屋に飾って目にするたびにその時の感動がよみがえります。

また、ミニチュアサイズや実物大など、大きさを自由自在にできるのもクレイフラワーの魅力のひとつ。小さめに作ったお花はアクセサリーのパーツや、インテリア小物に。そしてカラードレスに合わせてウェディングフラワーとして作れば、ずっと記念に残る大切な思い出の品にもなります。

真っ白な粘土から、驚くほど表情豊かなお花へ生まれ変わるクレイフラワー。生花ではあり得ない色彩も、好きな色のアレンジも、粘土なら表現する事ができます。花びら1枚から作るからこそ「世界でたったひとつ、自分だけのお花」が生まれる。そこに、クレイフラワーの奥深さと楽しさがあります。

クレイフラワー＆マカロンタワー

ウェディングアイテムとして定番のマカロンタワー。こちらの作品では、クリームがたっぷり入っているマカロンを、クレイのお花の土台に無造作に積み上げています。結婚式のコンセプトに合わせて、カラーも自由に変えることができ、お花もクレイで作ることで、より華やかにオリジナリティあふれる作品となっています。またお花が入っていることで、記念のお品というだけではなく、玄関やリビングなどに、普通のフラワーアレンジのように飾っていただけます。

初夏の野草のブーケ

6月頃から見られるお花、初夏に咲くネジバナとツユクサ。小さなこのお花たちは、造花としてなかなか販売されていないと思われますが、こうしてクレイでなら本物のように再現できます。お散歩しながら、かわいいなと目にする素朴な野草たちも、こうしてブーケにすればとても素敵なインテリアに。自分が好きなお花を好きなだけ…クレイで叶えるお花との生活は、こんなところにも魅力があります。

認定校紹介（2023 年 11 月現在）

クレイフラワーとミニチュア教室 Pollen
平野江身子
千葉市稲毛区
Blog：https://pollen-harukaze.amebaownd.com
インスタグラム：
https://www.instagram.com/springbreeze224

Kei クレイフラワー教室
中野啓子
愛知県豊田市
Email：kei.clay.flower@gmail.com

ゆきりおママの Handmade 教室
平川由香
千葉県千葉市緑区
インスタグラム：
https://instagram.com/yukirio.handmade

KoKo Clay Flower 教室
陰地久美
愛知県刈谷市
Email：koko.clay.flower@gmail.com

石井 優香　Yuuka Ishii

クレイフラワーアーティスト
「クレイフラワー教室 yu-hana」主宰

埼玉県和光市生まれ、さいたま市在住。大学在学中、主に色彩学や空間デザイン等、幅広い分野のデザインについて学ぶ。「大切な方々に、形に残る物を手作りしてプレゼントしたい」とクレイに興味を持ち、クレイフラワーアレンジを学び始める。「どうしたら繊細で本物の様なお花に仕上がるか？」を追求し、生花を観察しながら様々な技法を独自に研究、2015 年にはオリジナルテキストを使用したクレイフラワー教室の開校に至る。現在はさいたま市内のレンタルスペースや自宅、オンラインでレッスンを開催。認定講師の養成にも注力している。
2014 年　ユザワヤ芸術学院　パンフラワー講師養成講座認定
2015 年　ユザワヤ芸術学院　クレイフラワーアレンジ指導員養成講座認定・看板取得、同年夏よりクレイフラワー教室「yu-hana」を開校。2020 年 「クレイの世界　二人展」江戸川橋のギャラリーカフェにて３週間開催。2023 年京王プラザホテル「グラスコート」にて２ヶ月間作品展示。

クレイフラワー教室
yu-hana 本校（さいたま市）
完全予約制、通学・通信レッスン。初めてさんからご経験者の方まで、理論的に分かりやすくご説明しています。

Blog：https://ameblo.jp/yu-hana7/
インスタグラム：https://www.instagram.com/yu_hana_
Email：yu_hana87@yahoo.co.jp

自然の生み出す造形美を描く

私たちのまわりにある自然の世界に浸り、無心に絵を描く、それだけで素晴らしいことです。ボタニカルアートでは、まず第一に花や葉の形、花弁の枚数、雌雄の蕊、花の咲き方、萼、茎、トゲ、実など、植物の特徴をよく観察します。すると色彩や構造の微妙な美しさに気づき、その造形の不思議さに心打たれます。植物と対話し、自然の生み出した造形美を発見し、花の美しい姿を残すこと。それがボタニカルアートの醍醐味です。そして描くときには、絵を観る人の心が穏やかになるようにと心掛けます。

ヤエザクラ

庭のモモ

バラ
ハイブリッドティー

「鎌倉」大月啓仲氏 作出

オールドローズ

1867 年に作出された完全な四季咲き性ハイブリッド・ティーローズ種「ラ・フランス」より以前の系統を持つバラを総してオールドローズと呼ぶ。クラシカルな花容と原種に近い強健性が人気。

トマピー

いつの間にか忘れられてしまいました。

学名 Capsicum ennuum cv.Tomapie
栄養価が注目され 1990 年代頃から日本でも栽培する農家が現れた。現在はパプリカ（ピーマン）の仲間に分類されている。

小さな花たち

ハーブは小さいけれどとても可愛い花を咲かせます。

イワシャジン

見事なイワシャジンに筆が進みました。

イイギリ

赤い実がとても見事でした。大船フラワーセンターにて。

イロハモミジ

秋です。

キクイモ

空地で草むらの中にひっそり咲いていました。

カラスウリとシオン

ナニワイバラ

花色は白

フキノトウ

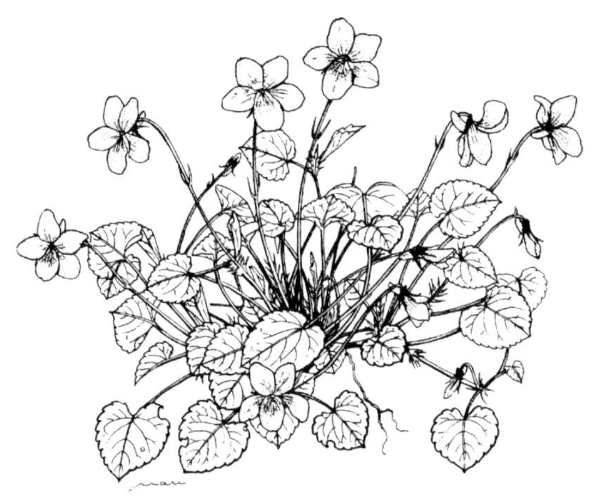

スミレ

小島万里子　Mariko Kojima

植物画家
日本ボタニカルアート協会会員

太田洋愛氏、二口善雄氏に師事。佐藤広喜氏にも指導を受ける。昭和 60 年に第１回国立科学博物館・筑波実験植物園 植物画コンクールで文部大臣奨励賞受賞（ガマズミ）。日本ボタニカルアート展に第 16 回から毎年出品。平成 13 年郵便はがきの「ふるさと年賀状」にフクジュソウを描く。国内食器メーカーに絵柄を提供、また藤沢市のさいか屋バラ展で作品展示するなど、植物を描き発表することを意欲的に続けファンも多い。2016 年、Kew Garden/Flora Japonica Exhibition に出品。作品は鎌倉文学館（バラ「鎌倉」)、宮崎県立総合博物館（ミクリ、アサザ)、神奈川県立松田町自然館（松田の鳥と植物）に展示されているほか、アメリカ・HUNT Library（パフィオペディルム)、イギリス･The Shirley Sherwood コレクション（バラ、イチゴ）にも収蔵されている。日本橋三越カルチャーサロン、湘南美術アカデミー等で講師を務める。藤沢バラ会 会員、ジャパンハーブソサエティ会員、東アジア野生生物研究会員。静岡県富士市出身（奉天生まれ）神奈川県藤沢市在住。

【通信講座】
1988 年より「小島万里子のボタニカルアート通信教育講座」開講（日本ヴォーグ社）

【作品集】

画集「花の回廊」
八坂書房　2004 年

花展の帰り道で目にした心揺さぶられる「ご褒美」

作品展に参加すると、いけ込みが終わるのはいつも夜。車で首都高湾岸線でレインボーブリッジ、そして、横浜ベイブリッジを通り帰途につきます。ライトアップされた橋を見るとしみじみ「私って頑張ったのだなあ。」と思います。心揺さぶられるその光景は自分へのご褒美。これを感じるのは、なぜか花展の後だけなんですよね。ライティングをしたのは照明デザイナーの石井幹子さんです。私も心揺さぶられる作品を展示できるように日々精進したいと思います。

花のソナタ

2023年　春「アンコールワット（カンボジア）」
自作花器　草月会館2階談話室

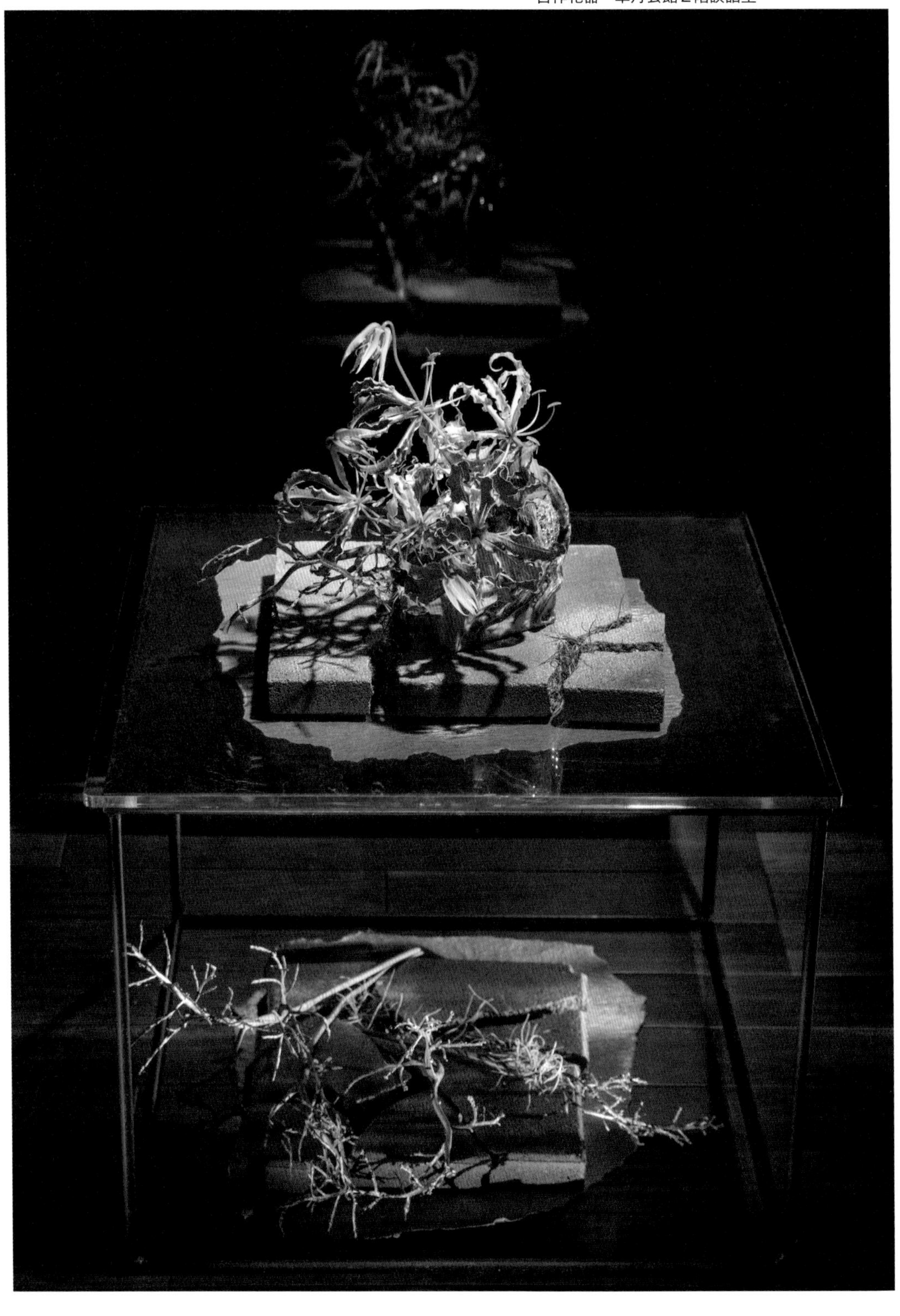

草月いけばな展　花のプレリュード　「花手水」

2022年6月　草月会館2階談話室

第 102 回草月いけばな展　2021 年 11 月

家元継承 20 周年記念「マイストーリー　──私の花語り──」
陶器花器　勅使河原 茜（草月コレクション）
草月会館 2 階談話室

ベートーベン生誕 250 周年
「美と音楽の饗宴」
──クリスマス　その先へ　春を寿ぐ──
2021 年　ボン（ドイツ）

草月新宿展　2009 年 6 月
自作ガラス器

ひまわりの郷　春のいけばな展
2023 年 5 月　花器　篠塚 裕子
横浜港南区民文化センター

創造の空間 2021 Tokyo 「龍」

家元継承 20 周年記念　合作 遠藤 桜泉　野村 浩秋　濱田 玲波　2021 年 7 月　草月会館 石庭 天国

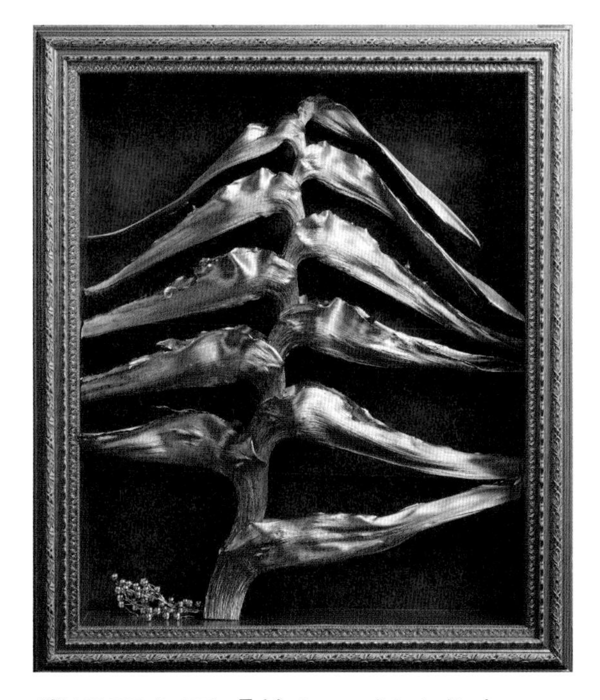

世界平和展「美しいだろう」

2020 年 8 月

水のない
いけばな展「春へ」

2021 年　草月会館　プラザ

冬の情景 ― 凛として ― 2021年1月

グラフィック　西澤 明

JR 港南台駅構内 花席

凍れる森 2022年11月

グラフィック　西澤 明

JR 港南台駅構内 花席

横浜名流華道展 2023年　春

自作花器（ガラス）　横浜高島屋

遠藤桜泉　Osen Endo

草月流いけばな作家、空間クリエーター

略歴

2011 年 草月流　新人賞受賞

2017 年 /2020 年 草月流作品賞受賞

2018 年「きらめく女流作家たち IV」掲載 (草土出版)

2019 年 第 27 回平和美術展 (横浜、ウィーン)

2019 年 JARDI N 展　in Abu Dhabi 展 (アブダビ)

2021 年 New directions in Japanese art(Mick 氏との合同作品)

2021 年「名手・名作　きらめく女流作家の花とクラフト作品集」掲載（草土出版）

2022 年 第 30 回国際平和美術展 (パリ)

2022 年 One Word -Japanese Art Charity Exhibition in BARCELONA-

2022 年 マイストーリー賞受賞

2023 年 日本藝術の創跡　vol.27 参画

2023 年 遠藤桜泉オンライン個展　開催

草月展に長年出品を続ける。神奈川県横浜市在住。

草月流一級師範理事／横浜華道協会会員

こうなん文化交流会華道部会員

いけばなインターナショナル協会会員

日本ディスプレイクリエーター協会会員

Email　iendout@docomo.ne.jp

TEL/FAX　045-844-8039

【撮影】

関谷 幸三（花のソナタ、草月いけばな展 花のプレリュード「花手水」、第 102 回草月いけばな展「マイストーリー　ー私の花語りー」、草月新宿展、創造の空間 Tokyo「龍」、横浜山手西洋館 ベーリック・ホールにて）／小久江 康光（横浜名流華道展）／遠藤 智子（ひまわりの郷 春のいけばな展、水のないいけばな展「春へ」、創造の空間（右）冬の情景ー凛としてー、凍れる森）

横浜山手西洋館
ベーリック・ホールにて

2011 年 9 月

花材を選び、主題を表現する楽しさ

このページの作品は炭を使っているように見えますが、実は栗の古木を黒く着色したものです。古木であっても人の心を癒し、安らぎを与えてくれた植物を大事に思う気持を表現したいと思い、素材として使ってみました。これまで経験したことのないコロナ禍による心身の疲弊を癒してくれる植物へ、感謝の気持を込めています。人生には色々な出会いがあり今があります。人と、そして植物(花 枝 葉 実)や器との出会い。出会うもの全てに感謝しつつこれからも、楽しくいけばなを続けて行きたいと思います。最近出会った植物と器が今回の掲載となりました。

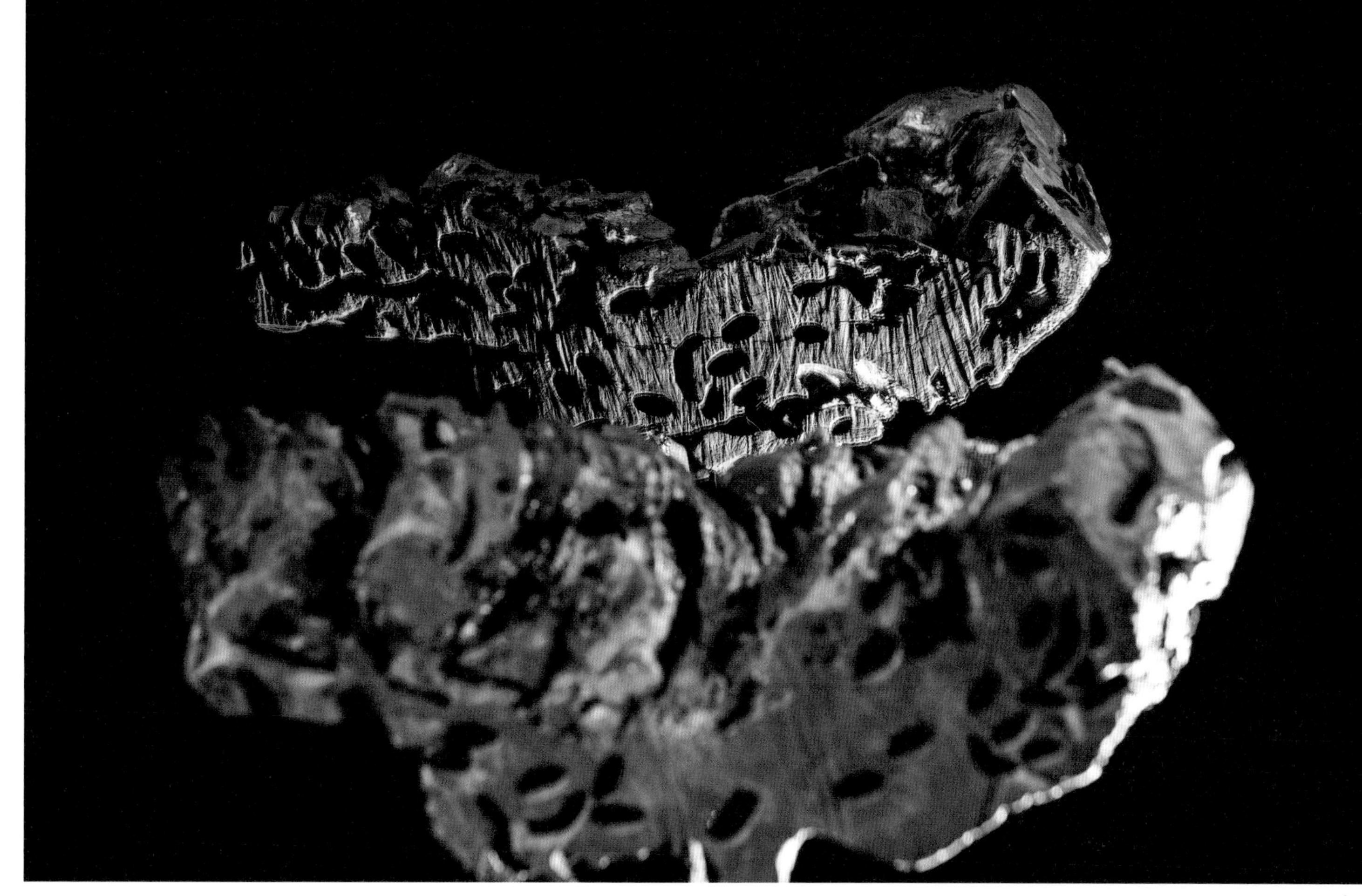

花のプレリュード

花のプレリュード　2022年6月　草月会館　談話室
花材　栗古木［着色］ ばら
撮影　関谷 幸三

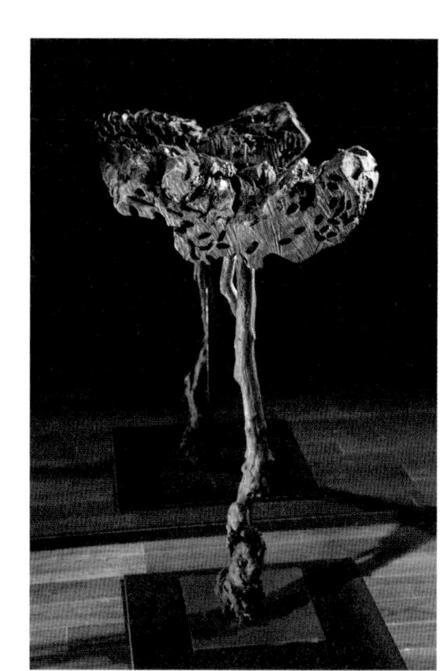

水のないいけばな展

2021年2月　草月会館　プラザ
花材　栗古木［着色］ソテツ［着色］
撮影　関谷 幸三　　遠藤 桜泉（右下）

マイストーリー
──私の花語り──

2022年6月　草月会館　談話室

花材　苔梅　サンスベリア　ソテツ　ピンポン菊

花器　勅使河原 茜 家元作　陶器花器

撮影　関谷 幸三

虎屋菓寮装花

2021年8月　とらや赤坂店
花材　どうだんつつじ　モンステラ　美人蕉
　　　たにわたり　モカラ　ひまわり
花器　自作陶器
撮影　野村 智子　　遠藤 智子（右下）

黄色い花 2023年

花のソナタ

2023年6月　草月会館　談話室
花材　藤づる　さるすべり［着色］ 葉ケイトウ
エアプランツ［着色］
花器　自作鉄花器
撮影　関谷 幸三

一花一葉

2021年11月
花材　芭蕉　石化柳　アンスリウム
花器　陶器花器
撮影　青木 一成

あきうらら

2022年9月　竹中教室にて
花材　雲竜柳　ユーカリ　ミニひょうたん
花器　自作ガラス花器
撮影　関谷 幸三

野村浩秋　Koshu Nomura
草月流いけばな作家
いけばな教室講師

１９７２年草月流入門。１９９３年より草月展に出品を続け２０１２年からは草月新宿展にも出品を開始。多くの先生に出会い、様々な講座に参加し学ぶなかで、植物や自然への深い知識や日本の伝統文化などを習得する。２０１５年草月奨励賞受賞。いけばなインターナショナル協会会員。現在はいけばな作家として活動を続けながら教室も開催。千葉県千葉市緑区在住。

２０２３年　草月奨励賞受賞
いけばな芸術協会　正会員
草月会千葉県支部　支部長

Email h-no165.@docomo.ne.jp
TEL/FAX 043-291-1163

秋色の風

2022年11月　スタイリッシュ：スペース＋花にて
花材　雲龍柳　木いちご紅葉　花器　下村 順子作　陶器花器　　撮影　関谷 幸三

パンデミックから生まれた作品たち

今回はコロナ禍で行われた花道展の作品を中心に掲載しました。2021年「水のない いけばな展」ではドライソテツを赤く着色して、炎が立ち昇るさまを作品にしてみました。暴れる様な炎にしたかったのですが、少し大人しい炎になってしまいました。また、2022年6月の「花のプレリュード」、10月の「第103回草月展」では結束金具を使った作品を出品。鳥の巣に見立てた芝生に卵から孵ったばかりの雛を結束金具で表した作品です。私たちが想像し得なかったパンデミックの中で制作したこれらの作品をご覧いただければ幸いです。

水のない いけばな展

炎（ほのお） 2021年2月

花のプレリュード

2022年6月

第 103 回草月いけばな展
草月ってなんだろう？
2022 年 10 月

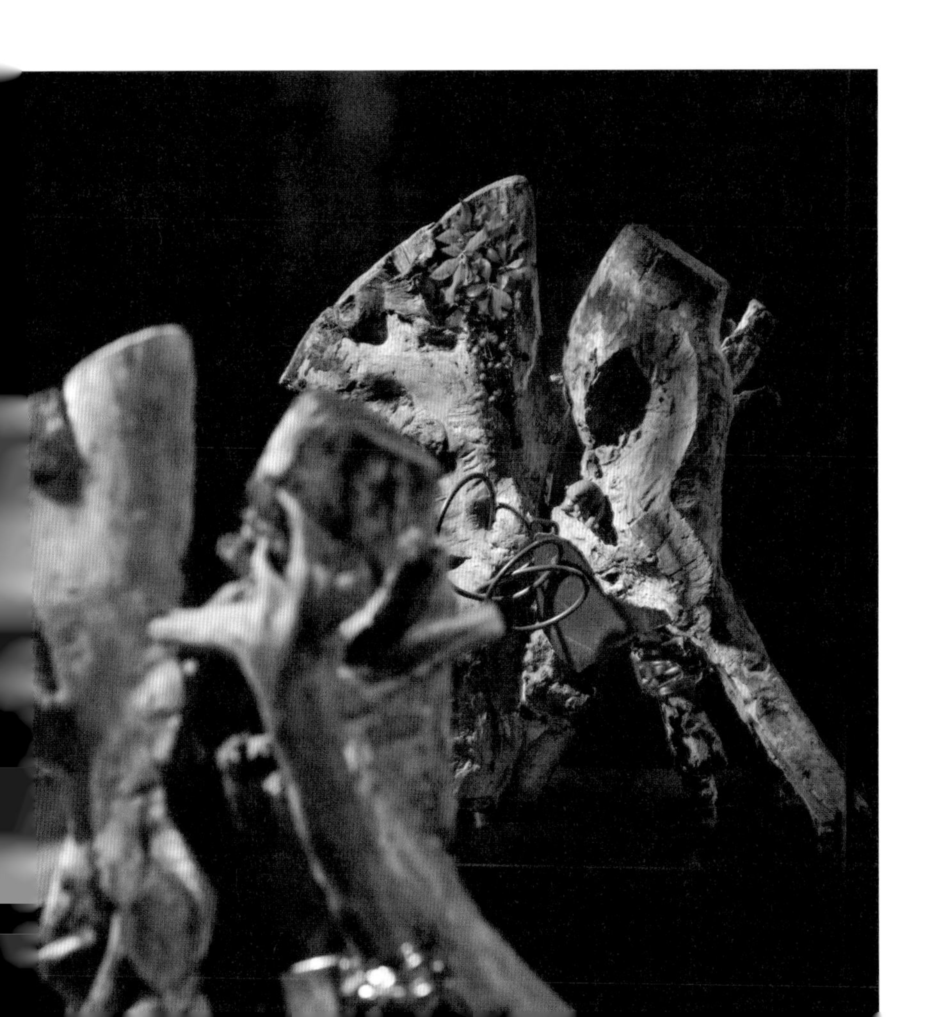

第102回
草月いけばな展
マイ・ストーリー
～私の花語り～

2021年11月　草月会館　プラザ

花のソナタ　2023年6月

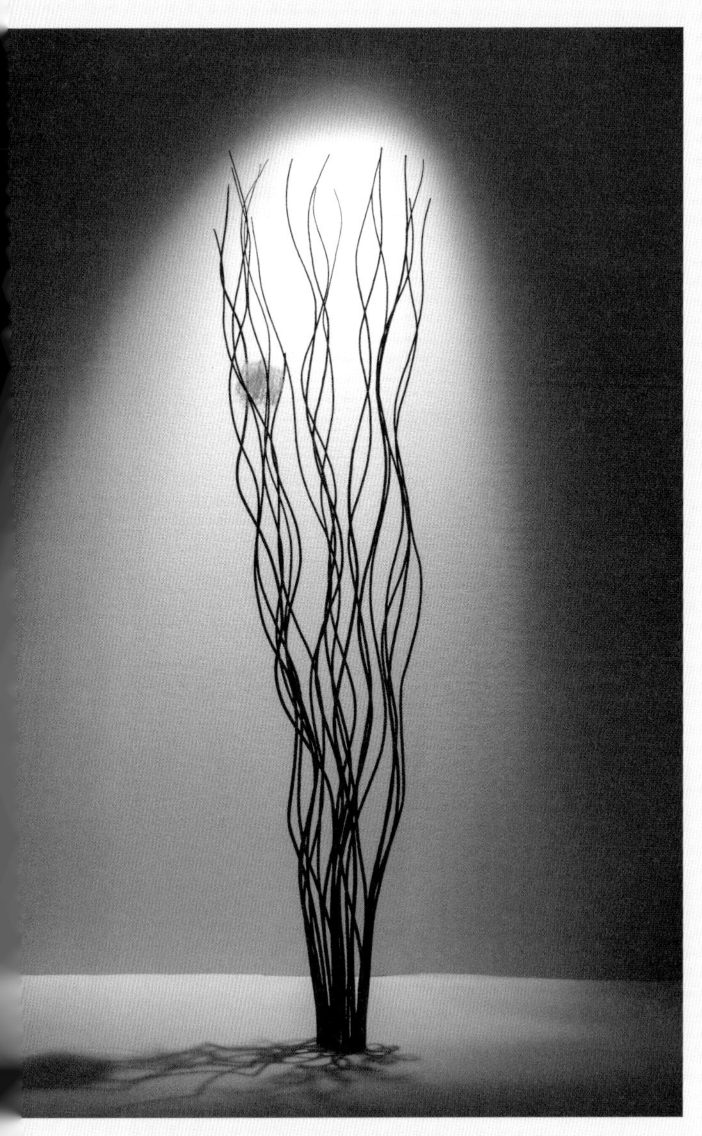

第 96 回 草月いけばな展「目で見えぬものを、いけよ」

2014 年 10 月～ 11 月

第 95 回 草月いけばな展

2013 年 11 月

濱田玲波　Reiha Hamada

草月流いけばな作家　いけばな教室講師

東京都立高校 華道部顧問

花教室「HANA」主宰

いけばなインターナショナル TFC 会員・本部理事

２０１７年 レッツ５期「波紋」草月流作品賞受賞
２０１７年「おもてなしのクリスマス」草月流作品賞受賞
２０１８年 レッツ５期「fusion 融合」草月流作品賞受賞
同年、ハンガリーのブタペストにてデモンストレーション経験

東京都町田市つくし野在住
Email　santa11k@icloud.com
撮影
関谷 幸三（水のないいけばな展「炎（ほのお）」、花のプレリュード、第 103 回草月いけばな展「草月ってなんだろう？」、第 102 回草月いけばな展）ーマイ・ストーリー ー私の花語りー、花のソナタ、第 96 回草月いけばな展「目で見えぬものを、いけよ」、第 95 回草月いけばな展／濱田 玲子 (第 102 草月いけばな展 p97 下右、第 103 回草月いけばな展 p99 下右)

第 103 回 草月いけばな展

ステンレスで構築する 人と自然へのメッセージ

2016年のドバイアートフェスを機に、ステンレスに焼き色をつける作品を試みました。ステンレスを素材とし、直線による短形、あるいは湾曲や円曲のフォルムにバーナー照射によって彩光を放つ複数の円頭形の構成で、カラフルなそれの連続は生命体を象徴しています。観るものを空想の世界へ誘うことができればと思います。

増殖

2020年
H56.0 W40.0 D44.0

大増殖

2021年
H50.0 W40.0 D35.0

時空への旅立ち

2018年
H60.0 W50.0 D50.0

雲海の街

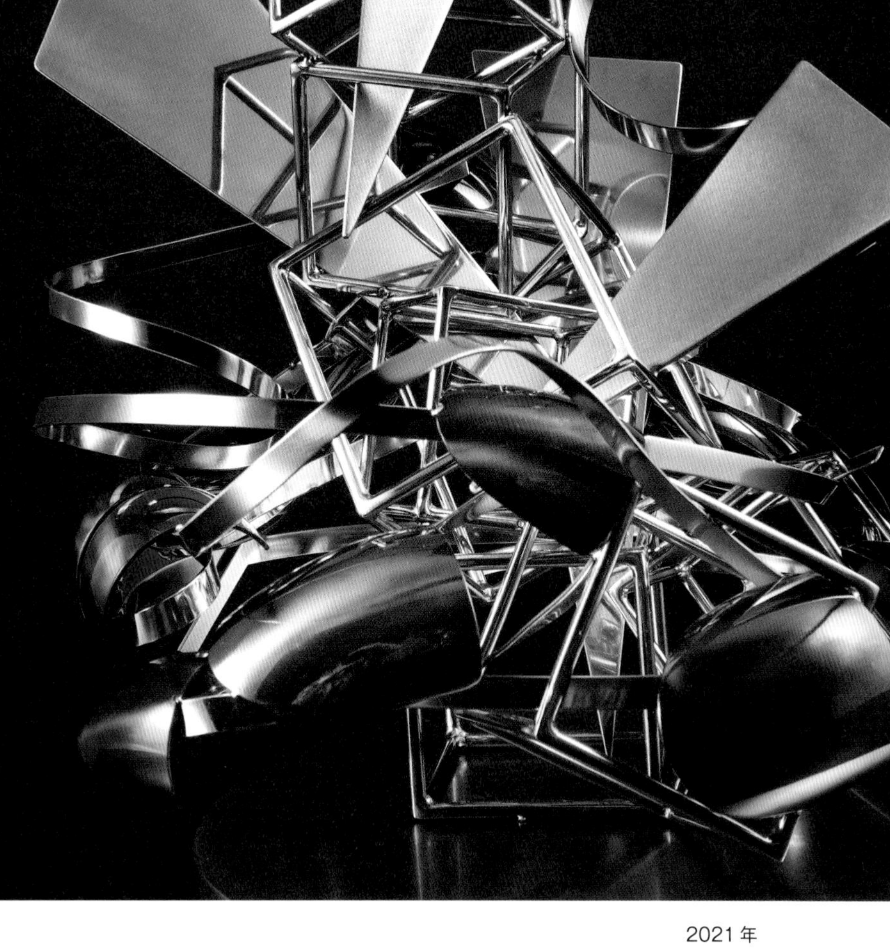

2021年
H50.0 W35.0 D

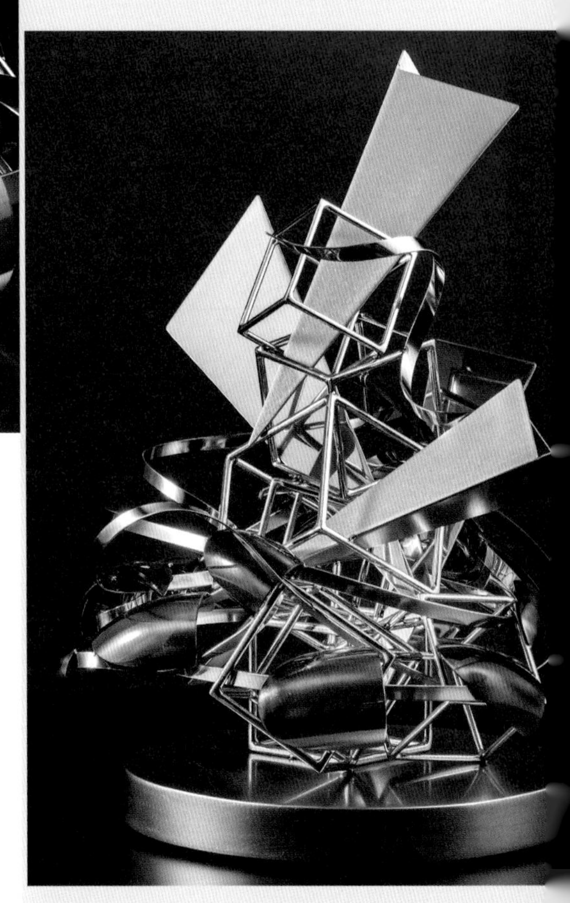

2019年
H57.0 W40.0 D40.0

天空を舞う

未来都市

2021 年
H93.0　W50.0　D50.0

群青のラプソディ

2016年
左　H30.0 W30.0 D35.0
中央　H50.0 W30.0 D35.0
右　H30.0 W30.0 D35.0

秋谷祐子　Yuuko Akiya

ステンレスアーティスト
小原流家元教授
EPJ フレッシュプリザーブドフラワー本部講師

幼少期、家族が経営するステンレス製造会社に出入りし、素材としてのステンレスに親しむ。
「人の心の渇きを癒すオアシス」をコンセプトに創作活動を開始。2017 年に参加したドバイアートフェスティバルを機に、ステンレスに焼き色をつける作品を発表。
2023 年 2 月『アートジャーナル芸術大賞』受賞
2021 年 10 月『第 64 回日本藝術選奨大賞　工芸部門大賞』受賞など、受賞、入賞多数。国内外で作品発表を続けるほか、2009 年 10 月作品集「Impression」出版（発売：美研インターナショナル）、2021 年 4 月作品集『群青のラプソディー』出版（編集：株式会社スマートシップ）。國立故宮博物館国際正会員。2017 年には英国王立美術家協会（RBA）より名誉会員証を授与される。札幌でギャラリーインプレッションを主宰。

HP　http://www.//official-artist.com/yuko-akiya/

【作品集】

作品集「群青のラプソディー」
SMART SHIP　2021 年

ボタニカルアートと私

ボタニカルアートの小島万里子先生は息の長い活動を続けられている先生です。植物画の太田洋愛画伯との出会いによりボタニカルアートの世界に入った先生は、現在でも植物を育て、観察し、描くことを欠かさない日々を過ごしていらっしゃいます。ライフワークであるボタニカルアートと恩師 太田洋愛画伯の思い出についてお伺いしました。

写真・資料提供　小島万里子　神奈川新聞社写真部

取材　2023年8月

「結婚して子育てが一段落した時、無性に絵が描きたくなりました」

ニセアカシアの白い花、りんごの花、アンズの花、ネコヤナギ、ナツメ、オキナグサ、シャクヤク、ワタ、ダイズ、ハツタケ、ベニテングダケ…。

幼少時代を過ごした満州で目にした植物です。植物画を描くようになった動機を探るとこの辺りに遡ります。理科と数学の教師だった父は様々なことに興味を持ち、何でも実行してみる質で、子どもと一緒になって、いろいろなことを教えてくれました。正しい植物標本の作り方も、この父から教わりました。戦後まもなくの、何もない時に、どこからかケント紙を探してきて、採集した植物を新聞紙に挟み、出来上がった標本をケント紙に貼り付け、植物名をきちんと記入するのですが、こうしたときの父は、私よりもずっと熱心でした。

厳冬の満州にも遅い春がやってきて、雪解けの地面に一斉にふいた青い草の芽を、しゃがんでじっといつまでも眺めていたことを思い起します。いま、いろいろな作品を描くとき、幼少の頃の、この記憶が大いに影響しているように思います。

私は小さい頃から絵を描くことが好きで、いつも一人でおとなしく絵を描いていたそうですが、小学校一年の時、授業中に描いた絵を大層褒められ、それが現在に繋がっているように思います。いつの頃からか、絵描き（画家ではなく）に憧れ、その思いが、いつもどこかで燻り続けていた気持ちに一気に火が付いたのです。

恩師、太田洋愛画伯との運命的な出会いにより、私の人生が大転換しました。それは、まったく思ってもみなかった植物画家という道でした。

再び絵を描き始めてから何かで太田洋愛画伯のことを知り、先生にご指導いただくようになってからの日々は、学習学習の毎日となりました。いくら草花が好きとはいえ、植物学とは殆ど無縁な私でしたから、まずこの部分の勉強が必要でした。とにかく、植物に関する本を手当たり次第に読みあさること、沢山の植物を見ることを日課としました。そして、描くこと。「五百種を描きなさい」との先生のお言葉通り、来る日も来る日も植物とにらめっこでした。

太田先生と共に勉強した日々は、いま思い起こしても、深く、懐かしく、充実したものでした。自分が専門家になるなど夢にも思いませんでした。偶然に飛び込んだ世界ですが、知るほどに奥の深い植物画の虜となり、どっぷりと漬かってしまったようです。

「ボタニカルアートとは、どんな絵ですか」という質問をたびたび受けます。「ボタニカルガーデン」が「植物園」ですから、「ボタニカルアート」とは、植物学的な美術画と思っています。つまり科学的な視点で植物を正確に観察し、実物大で克明に細密に描写した水彩

恩師のお供でボタニカルアートの会へ。

画のことです。

私が勉強を始めた当初は、ただ花を描いていればよい、という程度の考えで呑気に絵を描いていました。しかし沢山の草花に接し、色々な本を読むにつれて、次第に植物画が植物学だけでなく、本草学や博物学にも深く関わっていることが分かってきました。

日本の植物画の歴史としては、十九世紀初頭に小野蘭山が、中国から渡来した本草学を日本で発展させ『本草綱目啓蒙』を著しました。また十九世紀半ばには、飯沼慾斎が『草木図説』を著し、二十世紀初頭に牧野富太郎博士が『日本植物図鑑』を著しました。これにより日本における現代植物画の基礎が築かれました。

平成元年に国会図書館で展示された『自然をみる眼－博物誌の東西交流－』という展示では、江戸時代の図譜と西洋の植物図譜が豊富に展示され、『草木実譜』『梅園草木花譜』他にも『草木写生』『千虫譜』『ミズキ譜』『多肉植物誌』『蘭科百選』など見るべき名著が全て展示されており、息を呑む思いがしたものです。

※本草学は、中国医学（漢方）で用いる薬物に関する学問で、自然界に産する動物、植物、鉱物を対象とし、形態、産地、薬効などを研究するものです。（「自然をみる眼－博物誌の東西交流－」パンフレットより）

「描くために始めた学習により、植物画への理解が深まることに」

植物画はモチーフの草花を実寸で忠実に書き写す。簡単に描けるような気がしますが、科学的視点を持って描くという点でつまずいてしまいます。

サクラもスミレもタンポポも自分の頭の中では、よく分かっている筈なのに、いざ実物を手にし、観察しますとその仕組みの実によく出来ていること、小さな小さな花でも、きちんとめしべやおしべがあり、有毛であったり、ルーペの下の存在に驚異します。そして、普段はあまり物をよく見ていなかった事に気がつきます。葉の色一つを見ても季節によって変化します。植生によっても、異なってきます。毎日、毎日、植物とにらめっこをしているうちに、良いのか悪いのか植物さまがわが友人とでもいいましょうか、人間さまとお付き合いする時間より長いような気がします。

最近は植物画の描き方の参考書もたくさん有りますが、実際の植物がなによりのお手本だと思います。種から育てやっと咲いた花は、きれいに描いてあげようと思う気持ちで一心に描くことができます。時間の許す限り、野山を歩き回って、色々な植物を知る事も楽しみであり、大切な学習となります。

「チョウセンアサガオを見に行きたいんだよ」「今、外来植物を描いているのだけれど、チョウセンアサガオの咲いている所が見たいし、一本欲しいんだ」真剣な老先生のお顔つきから、お供するしかないと雨の中、タクシーを飛ばしました。太田先生はすでにその場所を御所を御存じで、タクシーから降りるのももどかしいように、ステッキをついて雨の中、突進して行かれました。横浜の埠頭のレンガの倉庫脇の見過ごしてしまうような場所でした。「これだよ、これだよ」と大変喜ばれ、雨が降っている事も忘れ、先生の採集のお手伝いをしました。「やっぱりそうだったんだよ、これで良く分かった」とその一本を大切そうに持って帰られました。この時の事で、いい加減に描いてはいけないということを、しっかりと教えて戴きました。雨の中の白い花、今も昨日の事のようです。

各地でボタニカルアートの講師を務める。

お仲間と山歩き。

「ボタニカルアート展は植物画を学ぶ者にとって身の震えるような憧れの場」

日本ボタニカルアート協会は太田洋愛先生によって1970年に設立され、翌1971年から日本ボタニカルアート展が開催されました。私は、協会が主催するボタニカルアート展の第十六回から参加。太田先生から「協会に入りなさい、その為に手持ちの絵を数点見せてください。」と、お話があったときは、正直ピンと来ませんでした。恐れ多い気持ちが強く、辞退したいと思った程でした。理由は、ボタニカルアート展が植物画を学ぶ者にとって身の震えるような憧れの場所でしたから、新米の自分の絵が、ボタニカルアート最高峰の先生の作品と並ぶと思っただけで、かなりプレッシャーがかかりました。十六回展の初日、藤島純三先生の隣の壁面がくじで当たって、二枚の自分の絵が展示された時はちぢこまってしまいました。藤島先生は静かでこつこつと画道一筋、二口善雄先生の絵画に対する秘めた情熱、不治の病の中で最後まで失う事なく製作意欲を持ち、命の火を燃やされた小原雅子先生、「満州生まれの万理ちゃん」と、優しかった太田洋愛先生、想いはつきません。ボタニカルアート一筋に駆け抜けてきた十年は短いようで実感がありません。普及の為にという協会の目的通り、今やボタニカルアートは、のしのしと歩き始めています。

セミのように机にかじりついて絵を描く毎日。画室の窓から流れる雲や、ちょっぴり見える富士山を眺めていると、過ぎた日々が頭の中を駆け巡ります。立派な先生方との交流は、温かい嬉しいものでした。私は多分これからもこの熱い思いを大切に、生あるかぎり絵を描き続けると思います。

小島万里子

恩師　太田洋愛 画伯

小島先生の絵。食器絵柄に採用されている。

百貨店のバラ展に出品。

時代に燦めく
アート・クラフト・フラワー

2023年12月15日　発行
定価　本体2,800円（＋税10%）

発行人　白澤 照司

発行所　株式会社 草土出版
東京都豊島区高田3-5-5
ロイヤルパーク高田206　〒171-0033
TEL 03-6914-2995　FAX 03-6914-2994
HP http://www.sodo.co.jp

発売元　株式会社 星雲社（共同出版社・流通出版社）
東京都文京区水道1-3-30　〒112-0005
TEL 03-3868-3275　FAX 03-3868-6588

グラビア・目次作品／秋谷 祐子

カバー作品／石川 さちこ（表１側）
古川 洋子（表４側）

編集／大橋 緑

デザイン・DTP／有限会社J-ART

印刷　株式会社 博文社

ISBN978-4-434-32687-5　C0076

時代に燦めく
アート
クラフト
フラワー